LEABHARLANN CHONTAE NA MÍ
3 0011 00087214 4

Tiomnú an Údair

Do Ghráinne, mo chailín álainn

ISBN 1-85791-163-6

Arna chlóbhualadh in Éirinn ag
Criterion Press Tta

Le ceannach ó Oifig Dhíolta Foilseachán Rialtais,
Sráid Theach Laighean, Baile Átha Cliath 2, nó ó
dhíoltóirí leabhar.
Nó tríd an bpost ó:
Rannóg na bhFoilseachán, Oifig an tSoláthair,
45 Bóthar Fhearchair, Baile Átha Cliath 2.

An Gúm, 44 Sráid Uí Chonaill Uacht., Baile Átha Cliath 1

Róisín ar Strae

Colmán Ó Raghallaigh
a scríobh
Aoife Ní Raghallaigh
a mhaisigh

AN GÚM
Baile Átha Cliath

Ón lá a dúirt Mamaí le
Róisín go mbeadh siad
ag dul go Baile Átha
Cliath ag siopadóireacht
ní raibh dada eile
ina ceann.

Anois agus an traein ag tarraingt isteach sa stáisiún bhí sceitimíní uirthi.

Bhí go leor, leor le feiceáil ón mbus agus iad ag dul isteach sa chathair. Abhainn mhór na Life .... na Ceithre Cúirteanna .... Agus an droichead aisteach álainn sin?

'Sin Droichead na Leathphingine,' arsa Mamaí.

'Mmmmmmmm,' arsa Róisín, 'iontach .... iontach ar fad.

Thuirling siad den bhus i lár na cathrach agus isteach leo i siopa ollmhór. Cheap Róisín nach bhfaca sí an oiread sin daoine riamh.

Fad a bhí Mamaí ag cuartú léine do Dhaidí d'imigh Róisín léi. Chaith sí tamall ag féachaint ar na héadaí agus ar na bréagáin. Ach nuair a bhreathnaigh sí thart ní raibh Mamaí le feiceáil in aon áit. Cá raibh sí ar chor ar bith? Ní raibh le feiceáil ach na sluaite daoine ag teacht agus ag imeacht.

'Mam bhocht,' arsa Róisín, 'tá sí caillte. B'fhéidir go ndeachaigh sí amach ar an tsráid.'

Shiúil Róisín go dtí doras an tsiopa ach ní raibh Mamaí le feiceáil. Taobh amuigh den siopa, i lár na sráide, bhí glasraí agus torthaí ar díol. Anonn le Róisín go dtí duine de na díoltóirí .... bean bheag chineálta.

‘An bhfaca tú mo Mhamaí?’ arsa Róisín leis an mbean. D’fhéach an bhean uirthi. ‘Ní fhaca, a stór. Bhfuil tú caillte?’

‘Ó, níl muise,’ arsa Róisín, ‘ach tá Mamaí caillte.’

Tháinig racht mór gáire ar an mbean.

‘Mhuise, Dia linn!’ ar sise, ‘nach barrúil an cailín tú!’

Leis sin, agus í fós ag gáire, thóg sí mála plaisteach agus chuir sí sé úll dhearga isteach ann. ‘Anois, a chroí,’ ar sise, ‘seo bronntanas beag duit.’

‘Ó, go raibh míle maith agat,’ arsa Róisín, ‘is breá liom úlla.’ Agus d’imigh sí léi ag siúl.

Shiúil Róisín síos an tsráid agus í ag déanamh iontais de na siopaí móra uile agus de na fuinneoga áille. Ba ghearr go ndearna sí dearmad glan ar Mhamaí.

Tar éis tamaill shroich Róisín droichead mór. Bhí cailín bocht ar a glúine ar an gcosán agus í ag déanamh pictiúir le cailc. Pictiúr de chrann Nollag a bhí ann.

'Tá sé sin go hálainn,' arsa Róisín.

'Go raibh maith agat,' arsa an cailín bocht agus í ag breathnú go hocrach ar an mála úll.

'Ar mhaith leat ceann?' arsa Róisín ag tabhairt úill di. 'Mise Róisín. Cé thú féin?'

'Bríd,' arsa an cailín agus í ag ithe ar a dícheall.

'Is maith liomsa an líníocht freisin,' arsa Róisín.

'Seo duit mar sin,' arsa Bríd agus thug sí na cailceanna di.

Chrom Róisín agus thosaigh sí ag tarraingt. Ba ghearr go raibh pictiúr breá de Dhaidí na Nollag déanta aici.

'Nach deas iad na pictiúir sin,' arsa beirt bhan a bhí ag dul thar bráid agus chaith siad dhá phunt isteach i mbosca Bhríde.

'Is leatsa cuid den airgead sin,' arsa Bríd.

'Ní liom,' arsa Róisín. 'Coinnigh thusa é. Caithfidh mise imeacht anois.'

Chuir Bríd a lámh i bpóca a cóta agus thóg sí amach bosca beag cailceanna daite. 'Duitse iad seo,' ar sise.

'Feicfidh mé arís thú, a Bhríd,' arsa Róisín agus as go brách léi go sona sásta.

Ar an taobh eile den droichead bhí fear ag tógáil grianghraf de na daoine a bhí ag dul an bealach. Ach is beag duine a bhí ag stopadh le grianghraf a cheannach. Bhí trua ag Róisín dó.

Thóg sí úll as a mála agus shín chuige é. Bhí iontas ar an bhfear. Ar aghaidh le Róisín ach ghlaoigh an fear ina diaidh.

'Fan,' ar seisean, 'fan nóiméad.'
D'iompaigh Róisín agus d'ardaigh sé an ceamara. Dhá nóiméad ina dhiaidh sin bhí sí ag imeacht arís agus grianghraf beag álainn di féin ina lámh aici.

Ar ball beag chuala Róisín ceol álainn. Bhrostaigh sí ar aghaidh nó gur shroich sí an áit ina raibh na ceoltóirí ag casadh ar a ndícheall.

B'aoibhinn le Róisín an ceol meidhreach bríomhar seo. Go tobann, i ngan fhios di féin beagnach, thosaigh sí ag damhsa!

D'ardaigh an ceol. De réir a chéile bhailigh slua.

I dtosach rinne sí na céimeanna a d'fhoghlaim sí ón múinteoir ar scoil agus ansin na céimeanna speisialta sin a d'fhoghlaim sí ó Dhaideo thiar ag baile.

Bhí súile na ndaoine sáite inti. Ina gcroí istigh bhí siad ar fad ag damhsa leis an gcailín beag seo, agus nuair a chríochnaigh sí de léim lig an slua na gártha molta astu agus bhí an bualadh bos le cloisteáil ó cheann ceann na sráide.

'Is iontach an cailín tú,' arsa fear an chonsairtín léi, 'agus tá bronntanas beag anseo agam duit.'
Leis sin thóg sé feadóg stáin úrnua as a phóca.

'Ó, go raibh céad maith agat,' arsa Róisín. 'Tá m'fheadóg féin ag éirí sean.' D'fhág sí slán ag na ceoltóirí agus ar aghaidh léi agus a croí fós ag preabadh.

An chéad rud eile, thug Róisín faoi deara duine a bhí an-aisteach go deo. Bhí sé ina sheasamh ar thaobh na sráide gan cor as agus aghaidh bhán air mar a bheadh ar fhear grinn. Bhí cuid de na daoine ag diabhlaíocht leis ag iarraidh caint nó gáire a bhaint as. Ach cor ná caint ní dhearna sé ach é ag stánadh roimhe i gcónaí.

Sheas Róisín tamall ag breathnú air nó gur bhuail smaoineamh í. Thóg sí amach ceann de na húlla dearga agus shín sí ina threo é. D'fhan sé mar a bhí ar feadh leath-nóiméid. Ansin go tobann, chrom sé agus sciob sé an t-úll as a lámh. Baineadh geit aisti agus phreab sí siar.

Leis sin ar feadh soicind amháin tháinig meangadh gáire ar an aghaidh bhán agus chaoch sé súil uirthi. Go mall réidh chonaic sí an lámh eile ag síneadh amach ina treo agus rud éigin beag á thabhairt di.

Céard a bhí ann ach dísle beag. Bronntanas ón bhfear ard caol. Agus í ag imeacht bhí sé chomh righin díreach agus a bhí sé riamh.

Ag coirnéal na sráide bhí Garda ag éisteacht lena raidió. Bhí scéala faighte aici tamall roimhe sin faoi chailín beag darbh ainm Róisín a bhí ar iarraidh ó mhaidin. Bhí sí cinnte go raibh an cailín ceart aici nuair a chonaic sí Róisín ag teacht.

'Dia duit,' arsa an Garda go cineálta. Sheas Róisín.

'Dia is Muire duit, a Gharda.

'Róisín, an ea?' arsa an Garda.

Bhí iontas ar Róisín. 'Cé a dúirt é sin leat?' ar sise.

'Chuala mé ar mo raidió é,' arsa an Garda agus í ag gáire. 'Tá do Mhamaí an-bhuartha fút. An dtiocfaidh tú liom anois chun í a fháil?'

'Tiocfaidh cinnte,' arsa Róisín agus d'imigh siad leo.

Thug an Garda í go dtí Stáisiún na nGardaí i Sráid Uí Chonaill áit a raibh a Mamaí ag fanacht léi. Nuair a tháinig Róisín isteach sa stáisiún rith a Mamaí chuici, thóg sí suas í agus phóg sí arís agus arís eile í.

'Ó, mo pheata beag,' ar sise, 'cá ndeachaigh tú nó céard a tharla duit ar chor ar bith?'

'Ó, níor tharla dada dom, a Mhamaí, ach chas mé le go leor daoine deasa sa chathair agus bhí an-spórt agam!'

'Spórt?' arsa Mamaí agus iontas uirthi. 'Muise, a Róisín, a stór, ní thuigfidh mé tusa go deo!'

Bhí na Gardaí ag gáire ag éisteacht leis an gcomhrá seo. Ach sular fhág siad an stáisiún bhronn siad peann luaidhe ar Róisín a raibh 'Garda Síochána' scríofa air. Bhí gliondar ar Róisín. 'Fan go bhfeice na páistí ar scoil é seo!' ar sise go bródúil.

'Tar uait anois, a chailín,' arsa Mamaí agus í ag ligean uirthi go raibh sí crosta. 'Tá cúpla uair an chloig fós againn chun an tsiopadóireacht a dhéanamh agus coinnigh thusa greim ar mo lámh. An dtuigeann tú?'

'Tuigim,' arsa Róisín. Bhí a fhios aici go maith go mbeadh faitíos ar Mhamaí gan duine éigin a bheith léi!

Bhí sé dorcha nuair a shroich siad an baile an oíche sin.

'Cén scéal?' arsa Daidí agus iad ag iompar na málaí isteach.

'Ó, diabhal scéal, diabhal scéal,' arsa Mamaí.

'Ó, bhí lá iontach agam, a Dhaidí,' arsa Róisín, 'lá iontach ar fad.

'Ach, caithfidh mé dul a chodladh anois nó ní bheidh mé in ann éirí don scoil. Oíche mhaith!'

Agus suas an staighre léi ar luas lasrach. Bhí iontas ar Dhaidí. 'Bhuel! Bhuel!' ar seisean.

Tar éis tamaill d'fhéach Daidí isteach sa seomra agus chonaic sé Róisín ina codladh go sámh. Ar an mbord cois na leapa bhí an lampa fós ar lasadh agus chonaic sé na bronntanais uile a thug Róisín abhaile ón gcathair

– dhá úll dhearga, na cailceanna daite, an grianghraf, an fheadóg stáin, an peann luaidhe a thug na Gardaí di agus .... an dísle.

Chrom Daidí lena chailín beag a phógadh, chuir sé as an lampa agus d'fhág sé Róisín le brionglóidí an lae.